6-85

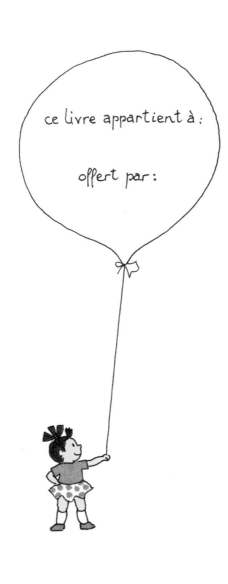

ce livre appartient à :

offert par :

Mimi Cracra dans le grand bain
Mimi Cracra sous la pluie

MA PREMIÈRE BIBLIOTHÈQUE ROSE

son de vacances, et aussi de promenade !

Petit bruit ? Oh oh, petit gros, oui !!! Ça fait du boucan, tu entends, Nounours : il y a beaucoup de gouttes qui dégringolent !

Et qu'est-ce qui se passe, dans ce minuscule jardin ? Il se passe que tout le monde est très content ! Les escargots et leurs familles préparent une grande fête !

Regarde : ils sortent, c'est normal et je m'en doute : ce

n'est pas seulement pour les grenouilles, la fête à la grenouille ! C'est aussi pour les fourmis et les asticots et les limaces et moi, d'ailleurs !

Mais moi, je suis un gros animal qui n'a pas de peau imperméable comme en ont les grenouilles, donc je mets ma peau en ciré jaune !

Ne sois pas jaloux, Nounours ! Ça ne sert à rien ! Et toi, tu n'as pas besoin de ciré, mon pauvre vieux ! Mais moi si !

Agnès Rosenstiehl

Mimi Cracra
sous la pluie

à Eva Gay, ma petite-fille chérie
qui chante sous la pluie !
A. R.

Hachette Livre, 43, quai de Grenelle, 75015 Paris.

Amuse-toi avec Mimi Cracra sur son site :
www.mimicracra.com

1

Il pleut très fort

Diguidiguidi ? C'est joli ce petit bruit qui tambourine dehors ! Un joli petit bruit de gouttes ! Un bon bruit de pluie, même ! On dirait de la musique ! Une très bonne musique, qui fait une chan-

Je mets aussi mon chapeau, ciré comme un casque de pompier mais jaune : cela protège ma fourrure de cheveux, cette coquille jaune. Oh, comme coquille, on dirait plutôt une grosse jonquille qui se promène, d'ailleurs... Et bien sûr je garde mes bottes sur mes pattes, pour que ces pattes m'emmènent dans le jardin. Allez mes pattes ! Portez-moi dans le jardin ! Je sors sans prudence. Pas la peine d'avoir sa prudence, car il ne fait même pas froid, et il n'y a même pas de vent, et d'ailleurs j'ai mes bottes ! Hop Nounours, on va dehors car vive la pluie ! Tout le monde aime la pluie : c'est ce qui nous fait boire !

Mais il faut que je vérifie cette eau : je mets ma main sous les gouttes pour savoir si cette pluie est tiède ou chaude ou froide ou quoi.

Alors ? Pas très. Juste un peu tiède, comme il faut.

Ce qui est très juste. Car pour les animaux, c'est avec la même eau qu'on fait la douche, et la carafe pour boire : et si c'est bien chaud, c'est bon pour leur faire un bain, mais pas pour leur déjeuner avec leur salade !

Et, si cette pluie est excellente pour les animaux, je pense qu'elle est tout à fait excellente pour nous !

Bon, dans ce terrain, nous voyons un très très grand asticot, qui est le chef de

tous les asticots je pense. Il
sort de sous sa feuille. Sa
feuille c'est sa tente, et il
sort pour voir si tout va bien.
Et oui, tout va bien : tout

commence à être mouillé, et c'est très beau : ça brille, et quand ça brille, ça veut dire que c'est très propre, le plus propre du monde parce que l'eau de pluie est l'eau la plus propre du monde.

Mais dis donc, Nounours c'est une pluie de tempête, je vois ! Donc voici une bonne journée pour mon parapluie, qui ne travaille que lorsqu'il y a une très grosse pluie. Sinon non. Sinon il trouve que ça ne vaut pas la peine, et que, tout compte fait, il préfère dormir. Mais là, vraiment, je pense qu'il va être très très content. Viens, mon vieux ! Regarde

moi ce déluge ! On dirait que tous les nuages crèvent juste pour nous, ici, maintenant, dans notre petit jardin ! Ça me plaît ! Et alors, j'ouvre mon parapluie ! J'aime bien quand il s'ouvre parce qu'on dirait une énorme fleur bleue qui est contente d'être arrosée. Et comme c'est une grande chose, c'est un peu fragile, je sais, donc je fais très attention avec lui !

Oh là là ce boucan, là-dessous ! Ça me rend sourde,

presque ! Mais j'aime beaucoup cette lumière bleue
sous mon parapluie : c'est
lui qui la fait. Ça fait mes
mains bleues ! Eh Nounours,

ça te fait bleu, évidemment, mais mon ciré, ça le fait vert ! C'est mieux d'être vert dans un jardin, comme ça on fait moins peur aux animaux :

par exemple mon lapin, qui s'appelle Lapinot Pinpin, qui se cache toujours dans l'herbe ; lui, il est très surpris de nous voir : bonjour Lapinot Pinpin, tu es content qu'il pleuve, n'est-ce pas ? Tiens, voici du persil, qui est ton plat préféré ! Tu fais ton sauvage ? Tu es timide, comme lapin ! Bon, tu peux rester timide.

À tout à l'heure, Lapinot Pinpin ! Reste sage, va dans ton grillage, tu n'as pas de

cirage, de ciré je veux dire !
C'est normal, c'est la nature.

Ça y est, c'est la gadoue à la bouillasse, qui est très bonne pour la santé ; en

effet c'est de la terre qui boit la pluie : comme ça la terre sera bonne pour faire pousser les radis et nous on mangera les radis... hop, encore un ! Miam, très bon : c'est comme ça que cette gadoue est très très bonne. Pour les radis mais pas seulement : regarde ça ! Mes bottes se tartinent avec de la gadoue comme si c'était du chocolat, on dirait ! Je vois que c'est aussi du chocolat pour les asticots, car ils en mangent des tonnes, et ils se disputent avec les escargots pour avoir tout.

Ne vous disputez pas, les bestioles, il y a de la bouillasse pour tous, et je vais vous la mettre dans vos assiettes pour qu'il n'y ait pas de dispute ! Une chacun, compris ?

Les escargots, dépêchez-vous un peu, vous traînez, vous traînez, hé ho, tout le monde va manger votre part !

Pour vous réveiller, vous

allez faire la course : je vous mets tous les deux ensemble sur cette large feuille, et le premier qui descend de la feuille a gagné ; je sais que

c'est une très petite course, mais comme vous n'avez qu'un seul pied, c'est normal que l'on vous fasse une épreuve sportive moins difficile ! Mais pourquoi vous ne bougez pas ? Vous ne voulez pas gagner ? Comme escargots, vous êtes un peu bêtes, je trouve ! Tant pis pour vous, je vais installer une super piscine pour vos copines limaces, et on verra bien si vous rappliquez !

Regardez, grosses limaces :

vous, vous allez avoir une épreuve de nage, très peu difficile mais pas facile...

Vous voyez ce beau truc en plastique ? C'est votre nouvelle piscine, que je viens de vous installer ! La pluie vous met de l'eau toute neuve dedans. Car il y a l'eau courante, dans ce jardin, je vous fais remarquer ! En tout cas en ce moment !

Allez hop, à l'eau, et hop, elles flottent, car ce n'est pas profond : elles sont dans le

petit bain ! Elles nagent bien !
Mais personne n'a gagné :
donc personne n'a perdu !

Maintenant c'est mon
tour !

Ah, quel délice, et quelle délicieuse odeur de jardin tout neuf, quand il pleut ! Mais ? Mais ? Il ne pleut plus ? Je rêve !

2

Le soleil
après la pluie

Ça ne m'étonne pas que
je crève de chaud, moi ! Et
je vois que tout sèche à cent
mille à l'heure, en plus !

J'enlève ma peau de ciré
et mon casque de pompier,
sinon je vais fondre comme
du beurre !

Mon grand parapluie, tu deviens un noble parasol : c'est automatique ! Regarde : c'est toi qui vas protéger du soleil cette minuscule mare d'eau potable. Et voilà que dans ce pays, tu es devenu le ciel bleu pour toujours, presque.

Et vous autres là-dessous, restez bien sous ce noble parasol qui vous protège, sinon vous allez tous deve-nir secs comme des frites !

Votre petite mare, on va

l'agrandir : travaux de chantier, avec cette grue en bois très solide, et ce camion qui sait faire le tracteur, et cette tasse, euh, qui est une petite

bétonneuse très utile. Et voilà que tout ça devient un grand lac noir, où nagent quelques animaux pas dangereux du tout. Autour du chantier, il y a votre tas de feuilles, et là c'est votre forêt vierge. C'est là que vous avez le droit d'habiter, naturellement ; mais chacun sur sa feuille, hein ? Ne vous disputez jamais. Les grandes feuilles, c'est réservé : pour les grands animaux ; et les plus petites pour leurs bébés ou leurs amis plus petits.

Ah mon dieu, mais qui voilà ? C'est qui, ça ?

Une coccinelle ! Une vraie bête à bon dieu ! Et c'en est une qui porte bonheur !

On a de la chance, aujourd'hui, vous avez vu !

Viens ici, ma chérie, tu seras notre fée, et c'est toi qui auras le droit d'habiter dans la touffe de violettes, parce qu'il n'y a qu'un seul bouquet de violettes, donc comme ça pas d'histoires !

Et en plus on dirait une boîte de peinture, ce coin ! On a toutes les couleurs qu'il nous faut : on a une feuille jaune, on a le para-

pluie bleu, et toi qui fais le rouge, tes points noirs qui brillent, et mon doigt qui fait le rose, l'herbe qui fait le vert, et la bouillasse qui

fait le marron, oh, et mon orange en plastique qui fait l'orange (pas étonnant), et la violette qui fait le violet, car c'est normal, évidemment ; bon, et il y a quoi qui nous manque ? Tiens, on n'a pas de blanc, et ça c'est bête...

Mais si ! Coccinelle ! Je te donne mon mouchoir, ça te fera un tapis.

Peut-être que tu manges en pique-nique, dans l'herbe, alors je te mets tout ça par terre, d'accord ? Tu es la fée des couleurs, c'est vraiment très artistique chez toi : félicitations et tous mes vœux de bonheur !

Tu vois cette coquille de

noix ? Je t'y verse de l'eau propre pour ton bain.

Maintenant je te présente les voisins : lui c'est un très gros escargot qui s'appelle Gras-Gris-Gros, qui est très paresseux, qui ne veut pas bouger de sa coquille : je crois qu'il dort tout le temps ; et lui c'est son ami Vieux-Petit-Jaune, qui a sorti ses yeux et ses cornes. Il a sorti tout ce qu'il a, et il te fait coucou avec sa corne : il sait dire bonjour ! Et voici mon

fiancé, qui s'appelle Nounours. (Ho Nounours : c'est
pour rire, ne t'inquiète pas !)
   Et il y a des petites bêtes
rouges qui ne piquent pas,

elles sont un peu carrées, mais pas belles : elles veulent tout le temps rester sur ce gros morceau de bois. Je pense qu'elles le mangent, ce bois, et qu'elles habitent dedans, d'ailleurs, ce qui fait qu'elles mangent leur maison ou qu'elles habitent dans leur dîner ! C'est très bizarre, comme idée, mais comme il y a plein de morceaux de bois dans ce petit jardin, il ne faut pas s'inquiéter. En plus je ne sais pas leur nom. Il y a aussi une famille de vers de terre, je ne sais pas où ils sont passés, il y en a des morceaux dans tous les coins. Peut-

être qu'ils font la sieste dans leur sous-sol ? Ils aiment bien s'y cacher, en tout cas ! À chaque fois que je leur dis de sortir, ou que je les tire

de là, ils y retournent ! Je crois qu'il y a aussi une chenille, et son mari, mais je ne les vois pas aujourd'hui. Regarde ça, Nounours...

Ceux-là, ils ne mangent que des fleurs, et tu vois : quand ils mangent une fleur, ils mangent juste le bord, et ils laissent tout le milieu : pas très poli, hein ?

En fait, peut-être que c'est Lapinot Pinpin qui grignote les fleurs ? Il est très très gourmand, et en plus un peu désobéissant, mais c'est normal : il n'a plus ses parents, alors il mange n'importe quoi et n'obéit à personne !

Ha, surprise infinie, sous cette feuille revoilà ma coccinelle que j'avais perdue !

Il ne faut pas qu'elle s'envole, pas tout de suite... Oh oh, elle bouge ses boucliers...

Ha ! Zut elle s'envole !

Bon, pas grave, je lui garde ses choses pendant qu'elle va à son travail !

Mais ne travaille pas trop, car on crève de chaud, sous ce soleil ! On dirait qu'il y a un radiateur dans le jardin, ma parole ! Et voilà mon pauvre parapluie, qui n'a pas l'habitude de faire un travail de parasol, qui est tout fatigué, tout ratatiné ! Il voudrait de la pluie... Normal ! Je le comprends ! Parce que je le connais...

Tu sais quoi, Nounours, je vais lui en faire, de la pluie, donc t'inquiète pas ! Voici notre fidèle machine, qui est un arrosoir, comme tu vois : et ça va lui donner ce qu'il aime le plus : une dou-che ! Attends deux minutes, je vais à la station-service faire le plein de flotte !

Bonjour tout le monde, le plein s'il vous plaît ! Fait chaud aujourd'hui, n'est-ce

pas ! C'était de l'orage tout à l'heure, et maintenant on dirait que c'est l'Afrique, tu sais Nounours... l'Afrique avec un soleil d'Afrique !

D'ailleurs, j'ai tellement chaud que, s'il vous plaît faites aussi le plein de mes bottes ! Ça me rafraîchira !

Super ! Superflotte ! Hou ! Ça fait floc floc quand je marche, et c'est un bain de pieds qui marche ! Qui va partout avec moi ! Qui déborde un peu mais ça ne fait rien ! Et en plus voici mon arrosoir qui arrive, et il est archi-plein : il va faire une grosse pluie sur ce pauvre parasol qui sèche. Attention, j'arrose ! Et floc, le voilà qui redevient un parapluie archi-mouillé et très normal !

Et voilà la suite : arrosage d'escargots, et arrosage de limaces, et arrosage de violettes, arrosage de l'herbe, arrosage de mes bottes et arrosage de tout le monde !

Ce travail d'arrosage, j'adore ça ! Je vais tous vous arroser, car il n'y a plus que moi, comme arroseuse ! Au travail, moi !

3

C'est de la pluie chaude

Ho ho ? Même pas vrai ! Je sens des gouttes neuves sur mon cou...

Dans cette super chaleur, il pleut de nouvelles gouttes très grosses ! Alors là, je suis bien étonnée ! Par ici vieux parapluie ! Celui-là, il peut

encore travailler... comme parapluie, maintenant ! Il peut être celui qui nous accompagne ! Je l'emmène !

Et comme mes pieds en ont assez de leurs bains de bottes, je pense qu'on peut les sortir de là, car ils peuvent très bien se débrouiller dans l'herbe ! Petongauche et Droipeton, hop ! sortez de là immédiatement ! Et eux ils obéissent ! Et je te prête mes bottes, Nounours !

Mes pieds ont de très

bonnes idées, ces deux-là, car ils veulent m'emmener sous la gouttière. Je sais pourquoi : cette gouttière crache une cascade formidable, qui fait un jet d'eau automatique à l'eau de pluie, ce qui est la meilleure chose pour les pieds des humains. Et pour réussir l'opération, je dois poser mon parapluie, et lui dire qu'il n'a plus de travail de parapluie à faire pour moi : ça veut dire qu'il est au chômage, ce qui est

très très embêtant pour lui !
Mais heureusement je lui
trouve un nouveau travail,
et c'est de te protéger, mon
vieux Nounours : je sais que
tu n'aimes pas beaucoup la

pluie, et que tu as un rhume, et que tu as une bronchite, et que tu as une grippe, et que tu veux un parapluie, justement et ça tombe bien.

Vous, vous restez là tous les deux, et pas de bêtises : n'allez pas vous envoler, puisqu'il n'y a pas de vent ! Je reviens dans cinq minutes, je vais à la cascade !

Bonjour, je viens pour le jet d'eau spécial, et voilà...

Ouah, c'est fort, comme cascade !

En fait, cette cascade de gouttière est tellement forte qu'elle pourrait faire une machine à laver, j'en suis sûre. D'ailleurs pour voir

si elle marche comme ma-chine à laver, je vais l'essayer sur mes chaussettes qui ne sont plus tout à fait des chaussettes, mais plutôt des vieux chiffons barbouillés et tout troués...

Et voilà l'opération qui marche ! Qui marche très bien, même ! J'enlève mes chaussettes pour que ça marche encore mieux !

Je me demande comment ils font, ceux qui n'ont pas de pluie ! Peut-être qu'ils ne

se salissent jamais ? Peut-
être qu'ils voudraient de ma
pluie, et justement j'en ai
beaucoup ! Donc je pourrais
leur en donner ! Mais évidemment, la pluie ne peut
pas s'envoyer ! Car il n'y a
que les nuages qui savent
transporter la pluie. Donc il
faudrait commander aux
nuages. Et celui qui com-
mande aux nuages, ce serait
plutôt le vent. C'est difficile
de commander au vent, je
pense. Il vaut mieux qu'il

décide lui-même... Et justement, il n'y en a pas du tout aujourd'hui. Il est parti. Et moi je rentre. Je rentre sous mon parapluie, car pour le moment c'est lui ma tente, et sous ma tente je t'invite, Lapinot Pinpin ! Tu peux venir ! Ose ! Il ose pas...

Eh Nounours, on va déguster un pique-nique, d'accord ? J'apporte des choses spéciales pour lapin et pour jour de pluie : un panier avec de très bons sandwiches à l'herbe, et des gobelets en plastoc, et un rôti et des côtelettes en plastoc. Et même le pain est en plastoc. Et aussi le fromage, même !

Hum ! Je vois bien que vous n'êtes pas contents, toi et Lapinot Pinpin… Vous n'aimez pas le camembert, ni le saint-nectaire, ni le munster

et tous ces airs de fromage !
Pourtant tu dois manger de
tout, Nounours, car tu es un
omnivore qui mange de
tout je te le rappelle ! Donc

ne fais pas d'histoires mon chéri, et mange ton plastoc comme tout le monde ! Les fourmis ont l'air de trouver ça très bon, tu vois ! Elles lèchent mon petit rôti ! Je pense qu'elles ont compris qu'il est tombé dans le sucre en poudre hier : elles sentent ce vieux sucre, et elles le trouvent pas vieux du tout pour elles. Et ça lave mon rôti en plastique, si elles lèchent tout ce sucre ! En fait, ce sont des fourmis qui

font la vaisselle ! Génial !
Peut-être même qu'elles
pourraient faire une plus
grosse vaisselle ? Je vais
essayer avec mon assiette de

midi, où il y avait mon déjeuner !

Hé ! les fourmis ! Je vous
apporte une nouvelle chose
à laver ! Il faut bien nettoyer
tout ce qu'il y a dans cette
assiette ! Faut qu'elle soit
toute propre ! Allez-y ! C'est
bon pour vous ! Il reste de la
vieille sauce tomate ! C'est
bien ça que vous aimez,
d'accord ?

Ah ah, je vois qu'elles sont
tout à fait d'accord ! Ça fait
une machine à laver la vais-

selle gratuite et en plus c'est utile pour les fourmis ! Car les fourmis aiment beaucoup travailler : c'est même ce qu'elles préfèrent ! On

leur dit « mais non, reposez-vous, faites la sieste » ; elles disent « non non non, pas la peine, on préfère travailler et faire la vaisselle ! » Bon !

Et voilà ! Tout est propre !

Ce pique-nique est fini, et... zut de zut, vérifiez, il n'y a plus de pluie, et je vous propose de vous apercevoir que c'est une grande catastrophe : tout va encore sécher, l'herbe va sécher, les limaces vont sécher, les fourmis vont sécher, le plastique va sécher et ma langue va sécher !

Nous allons vivre dans ce pays tout sec ? Mais non, Nounours, pas de malheur,

car regardez : notre parapluie s'est renversé, il est
plein de très bonne pluie
fraîche : c'est un petit lavabo
bleu ! Je vous vends des
tickets à l'entrée du lavabo :
ça coûte un caillou chacun,
et gratuit pour toi, Nounours
qui n'aimes pas beaucoup te
laver en fait...

Celle qui préfère y aller,
c'est moi ! Je trempe un
petit doigt de Petongauche
dans ce beau lavabo mo-
derne, puis un petit doigt de

Droipeton ! C'est le rinçage final, en fait !

Et après, plouf ! Toute cette eau de lavabo va chez les asticots !

Renversement du lavabo ! Chers amis de la patouille, c'est fini la fête ! Car j'entends un bruit qui parle français et qui nous dit

l'heure pile : ça veut dire que c'est l'heure de rentrer se sécher, tu entends Lapinot Pinpin ! Faut t'organiser pour rentrer ! Je compte sur ta sagesse de lapin !

Quand il pleut, quelquefois on fond, même ! Faut faire attention comme si on était en sucre !

Ho Nounours, tu entends? On nous appelle ! On va rentrer en récitant notre poème de pluie, qui est un nouveau poème que voici :

La pluie
avec son joli bruit
lave mes pieds et mes idées !

C'est un poème pour la pluie que tu peux apprendre, Nounours. Tu dois devenir un Nounours qui connaît bien la poésie, comme tous les ours normaux.

La poésie, c'est bon pour les ours ! Pas seulement pour les hommes !

Table

canal j La Bibliothèque Rose et Verte te présente La Collec'

1
À la fin de chaque livre des collections ma Première Bibliothèque Rose, Bibliothèque Rose et Bibliothèque Verte, tu découvriras des points à l'image de tes héros préférés.

2
Découpe-les, collectionne-les et reçois des cadeaux : porte-clés, jeu de 7 familles, cassettes vidéo, CD-Rom...

3
Pour obtenir ton bulletin réponse, c'est très simple : Connecte-toi sur le site www.hachettejeunesse.com (rubrique La Collec') ou sur le site www.canalj.net (rubrique partenaires), ou envoie sur papier libre ton nom, prénom et adresse complète à :

Hachette Jeunesse, La Collec' Service Communication
43, quai de Grenelle, 75905 Paris cedex 15

(offre valable dans la limite des stocks disponibles)

Retrouve tes héros préférés sur

et **canal j**

Illustrations : Philippe Matter,
Christophe Besse, Lucie Durbiano

Imprimé en France par **Partenaires-Livres®**
n° dépôt légal : 22108 - octobre 2002
20.24.0786.2/01 ISBN : 2.01.200786.4
Loi n° 49-956 du 16 juillet 1949
sur les publications destinées à la jeunesse